Louise-Michelle Sauriol

Un Samedi en Amazonie

ROMAN

Illustrations Alexandra Garant

Les petits loups
Le Loup de Gouttière

SUR LA PISTE DES FOURMIS GÉANTES

Samedi de pluie, samedi magique ! Chez mes cousins, le mystère plane...

J'arrive chez Joëlle, Mine et Pierre-Yves, sautant sur un pied, sautant sur l'autre. J'entre dans leur immeuble, parsemée de gouttelettes. Un papillon bleu vient se poser dans mon cou.

Moi, Fanie, la cousine des cousins, je n'en ai jamais vu de semblable.

– Que fais-tu dans ce logis, beau papillon égaré ?

Il bat des ailes, attiré par la lumière en haut de l'escalier. Pfft! il s'est envolé! Plus de papillon mystérieux.

Devant la porte de mes cousins, on parle, on parle, on caquette même. Je reconnais tout de suite les voix: les demoiselles Dufort! Les voisines d'en haut parlent sans arrêt. Le menton de la plus grande ballotte et tremble. J'écoute, médusée.

– Des fourmis énormes, une épidémie! C'est grave.

– Oui, appuie l'autre; un millier de fourmis armées jusqu'aux dents!

– Des fourmis avec des fusils? reprend la voix moqueuse de Pierre-Yves, mon cousin.

– Ignorant! réplique la première demoiselle, courroucée. Tout le monde sait que les fourmis charpentières dévorent les maisons!

– En creusant des galeries dans le bois, précise la deuxième, les lunettes sur le bout du nez. Notre logement va s'écrouler sur le vôtre! Les avez-vous aperçues?

– Pas encore! dit tante Claudine. Mais venez donc chez nous! On trouvera moyen de vous en débarrasser.

Quelle horreur! Des fourmis mangeuses de maisons. Géantes et voraces, en plus! De quoi s'inquiéter. J'en ai le frisson juste à y penser. Des ogres noirs à six pattes, qui en voudrait chez soi?

La tête rousse de ma cousine Joëlle émerge du groupe de personnes. Elle m'entraîne à l'écart.

– Fanie, as-tu peur des fourmis ?

– Euh ! ça dépend…

Les demoiselles Dufort continuent de gémir, puis elles acceptent l'invitation de tante Claudine. Dès qu'elles sont entrées, Joëlle éclate de rire.

– Je crois qu'elles ont tout inventé. Tu les connais, les demoiselles, de vraies semeuses de panique ! Toujours en train de s'affoler pour des riens. Nous, on n'a pas vu une seule fourmi.

– Et si les fourmis avaient grignoté leur plancher pour vrai ? je lui demande.

– On peut vérifier !

Intrépide, Joëlle se tourne déjà vers l'escalier. Faut-il vraiment grimper à l'étage des monstres? Je n'ose avouer que j'ai peur. Et puis il y a Mine, la petite sœur de Joëlle. S'il fallait que la cousinette fragile nous suive dans un nid de fourmis géantes! Je m'écrie:

– Joëlle, attends! Où est Mine? Je voulais... euh... lui donner un nouveau crayon de couleur.

– Mine est couchée dans son lit, dit Joëlle. Elle a attrapé un gros rhume. Tu iras la voir après. Amène-toi. Vite!

Joëlle grimpe rapidement l'escalier. Pas d'autre choix, j'y vais! En montant derrière elle, j'examine chacune des marches. Ces vilains insectes sont-ils en train de détruire l'escalier ? Des escaliers grugés, ça tombe !

Rien ne bouge sur les marches ni en haut, sur le palier. Aucune trace des fourmis charpentières. Où sont les ogres du bois ?

Oh ! les demoiselles Dufort ont laissé leur porte entrouverte ! Joëlle affiche un sourire triomphant.

– Allons-y !

TROIS PAS DANS LA JUNGLE

Sans bruit, Joëlle se faufile chez les demoiselles. À mon tour, je me glisse dans le vestibule du logement. D'un pied hésitant, nous entrons dans le couloir. Rien ne croule ou ne s'écroule. Les planchers résistent à nos pas. Sur la gauche, le salon paraît normal. Pas d'insecte sur le tapis gris. L'armée de fourmis géantes reste invisible.

Joëlle chuchote :

– Psst ! dans la cuisine ! Les fourmis doivent se tenir là.

Les poings serrés, le cœur battant, nous pénétrons dans la pièce. Pas le moindre insecte en vue. Bizarre! Comme elle est triste, cette cuisine... De quoi couper l'appétit! Une nappe beige recouvre la table. Par terre, le linoléum tire sur le brun cacao. Aucune tapisserie ne décore les murs. Quelle pitié!

– LÀ! s'écrie Joëlle en pointant une armoire. J'en vois UNE! Regarde, Fanie.

Où est-elle? J'écarquille les yeux, le pied levé, prête à l'écraser. Au lieu du monstre attendu, une minuscule fourmi rousse trottine vers une miette de pain oubliée! À quoi bon l'attaquer?

Joëlle l'observe un instant et part de nouveau en guerre.

– C'est un indice! Des centaines de charpentières doivent loger dans

cette armoire. Avançons ! Une, deux…
J'ouvre !

En réalité, l'armoire est un garde-
manger… vide ! À peine deux ou trois
boîtes de soupe et de riz s'y trouvent.
Quand je pense au garde-manger si
bien garni de tante Claudine : conser-
ves, biscuits, céréales, fruits secs, miel
et beurre d'arachide s'y disputent
l'espace. Miam ! Que mangent donc
les demoiselles ?

– Pas très fort, leur histoire ! remarque Joëlle. Imagine, elles ont débarqué
chez nous pour une seule fourmi !

– Pourquoi mangent-elles si peu ?
Que font-elles dans la vie ?

– De la couture, répond Joëlle. Les
demoiselles Dufort sont couturières.

Les couturières doivent bien se nourrir pour tailler les vêtements et les coudre. Attends…

Joëlle ouvre la porte du frigo et y plonge un instant la figure.

– Juste un litre de lait et du fromage. Pierre-Yves mourrait de faim, ici ! dit-elle.

– Moi aussi !

Porté par un courant d'air, un papillon voltige dans la pièce. Mon papillon mystérieux !

– Salut, papillon bleu !

Le papillon s'envole et je m'élance à sa poursuite. Où t'en vas-tu, papillon d'aventure ? Emporte-moi sur tes ailes ! Loin des fourmis et des armoires vides.

Voletant par-ci, voletant par-là, il m'entraîne au fond du couloir. J'arrive soudain dans une pièce lumineuse où poussent des plantes gigantesques. Incroyable !

– Joëlle ! Viens voir la jungle !

– Tu oublies les enquiquineuses qui habitent ici. Attention, Fanie !

– Quelles enquiquineuses ?

Des fleurs rouges débordent de grosses potiches brunes. Des cocotiers et des bananiers étalent leurs feuilles dans tous les sens. Sur les étagères trônent des animaux empaillés : un mini-singe tout blanc, un alligator et... ouille ! un bébé jaguar !

Au milieu de la pièce, une longue barque repose sur le tapis. Une toile jaune la recouvre aux trois quarts. Où suis-je ?

Dans un nouveau pays ! Un pays aux parfums exquis où les tristes demoiselles n'existent pas. Aucun doute! Tant pis pour Joëlle si elle ne veut pas l'explorer!

Mon papillon bleu s'est posé sur une fleur écarlate. Une merveille de fleur à sept pétales de velours. Elle me rappelle les plantes de Noël. Je fais trois pas dans la jungle pour l'admirer.

Soudain, un rire clair monte derrière une potiche.

– You-ou!

– YOU-OU! reprend une voix grinçante un instant après.

Du même coup d'œil, je découvre la tête de Mine entre deux potiches et, au-dessus d'elle, un perroquet rouge, vert et jaune!

– **M**ine! Toi, dans la jungle ?

– Papi papi lon !

– PAPI PAPI LON ! répète le perroquet.

Le papillon bleu vient de reprendre son envol. La cousinette trottine derrière lui.

C'est donc le papillon qui l'a conduite là... Elle s'est échappée à la faveur de la panique causée par les fourmis. Papillon mystérieux, as-tu un pouvoir magique ?

Un instant après, Joëlle se pointe dans la pièce.

– Qu'est-ce qui se passe ? Quelle jungle ! Mine ! ! !

– Atsoum !

– ATSOUM ! reprend le perroquet.

À l'appel de sa sœur, la cousinette s'est cachée derrière une autre potiche.

– Mine, sors de là ! s'écrie Joëlle. On s'en va chez nous !

– Non !

– NON ! appuie le perroquet du haut de sa cage.

– Arrive, Mine ! insiste Joëlle. Tu devrais être au lit !

Le perroquet se démène soudain comme un démon. Il ne semble pas apprécier l'intervention de Joëlle. Il gratte les barreaux de la cage et vole de tous côtés. Un souffle brûlant de colère balaie ma figure et mes cheveux. On dirait qu'il refuse de voir Mine partir !

La cousinette finit par venir près de Joëlle, qui lui mouche le nez. Le perroquet nous fixe de ses yeux perçants. Des yeux aux rayons glacés. Pas rassurant.

Vivement, je recule… Crac ! Quelque chose vient de tomber : un cadre de bois s'écrase sur le plancher. L'oiseau n'a pas bronché. D'un saut de lapin, je bondis vers l'objet.

– Montre ! dit Joëlle. Oh ! la belle photo !

– Mine, photo ! s'écrie la cousinette.

– PHOTO ! répète le perroquet après Mine.

Toutes les trois, nous examinons la photo au milieu du cadre. Le perroquet allonge aussi le cou, intrigué par l'incident. Quel curieux portrait !

Deux femmes tiennent la main d'une fillette à la peau brune, âgée d'environ quatre ans. Vêtues de jupes fleuries, les femmes ont fière allure avec leurs cheveux longs. Elles sourient à la fillette. Derrière elles, on dirait une vraie jungle. La jungle ? Où peut être logée cette jungle ? En Amérique du Sud ?

De loin, on entend Pierre-Yves nous appeler.

– Fanie ! Joëlle ! Arrivez donc ! Maman vous croyait dehors, sous la pluie. C'est bien assez que Mine soit malade !

Deux minutes plus tard, le cousin surgit au milieu des feuilles d'un bananier !

– Mine ! Les filles ! Pourquoi êtes-vous ici ? Oh !

Les pieds rivés au plancher, Pierre-Yves inspecte le décor. Il n'en finit plus de détailler les plantes, les fleurs, le papillon bleu, les animaux empaillés, la barque. Mon cousin s'exclame enfin :

– L'Amazonie ! Dans un film sur l'Amazonie, j'ai vu des papillons bleus et une pirogue semblable.

– Quelle pirogue ? demande Joëlle.

– La barque en bois devant toi ! dit Pierre-Yves.

– Non, photo! proteste Mine, les yeux rivés sur le cadre. Gad photo!

– GAD PHOTO! répète le perroquet sur un ton sec.

– Un perroquet! s'écrie Pierre-Yves. Vivant, en plus! D'où sors-tu? Je ne t'ai jamais entendu parler!

– Une voix pareille, ça devrait percer les murs! appuie Joëlle. Pourtant, on a toujours l'impression qu'il n'y a personne au-dessus de chez nous.

Pourquoi mes cousins n'ont-ils jamais entendu le perroquet? Était-il muet? Ou vient-il juste d'arriver?

– Gad photo! s'impatiente Mine.

– PHOTO! crie le perroquet à tue-tête.

Je tends le cadre de bois à mon cousin. Pierre-Yves examine à son tour les femmes à la jupe fleurie et l'enfant.

– Ces femmes me font penser à des amazones ! dit-il.

– Pourquoi ? s'informe Joëlle.

– Les cavalières de l'ancien temps, on les appelait des amazones, précise Pierre-Yves.

– Zaunes ? Sont zaunes ? demande Mine à son tour.

– SONT ZAUNES ! reprend le perroquet.

Nous pouffons de rire. Les femmes ne sont pas jaunes et n'ont rien de cavalier. Je ne les vois surtout pas montées sur un cheval !

Mine rit aussi, tournée vers le perroquet. C'est plutôt lui qui a du jaune. Étrange, il paraît content de voir la cousinette se rapprocher de lui. Il se met à sauter d'un barreau à l'autre, comme pour l'inviter à jouer.

– Écoutez, reprend Joëlle, la tête des amazones me dit quelque chose.

Mine met un doigt sur la photo.

– Gad lunettes !

– GAD LUNETTES ! reprend le perroquet.

Pierre-Yves chuchote entre ses dents :

– Les demoiselles Dufort ! ! !

Malheur ! Les enquêteuses arrivent ! Il me semble avoir entendu du bruit.

QUI A VU ÉVA ?

Épouvantées, Joëlle et moi nous tournons vers la porte. Les demoiselles sont-elles déjà sur le seuil ? Ouf ! personne !

– Je veux dire qu'elles sont là, sur la photo ! reprend Pierre-Yves. Observez bien le menton de la plus grande des amazones et les lunettes de la deuxième.

En effet, l'amazone de gauche ressemble à une demoiselle Dufort, mais en tellement plus jeune et plus jolie ! L'autre offre un sourire très large. On croirait même qu'elle rit. Ses lunettes sont à peine visibles, mais pendent sur le bout de son nez.

Seraient-ce nos demoiselles grincheuses dans un autre temps et un autre monde ?

Pierre-Yves retourne la photo et découvre une étrange inscription à l'arrière : *Éva, le 3 mai, avec ses tantes.*

Des tantes ? Les demoiselles Dufort seraient les tantes d'une petite Éva ? Inouï ! Des tantes, amazones en plus ! Qui a transformé les belles amazones en couturières enquiquineuses ? Un mauvais génie ?

Joëlle examine une autre fois la photo.

– Éva? répète ma cousine, perplexe.

– Éva patie? demande Mine.

– ÉVA PATIE! répète à son tour le perroquet, pris d'une folle excitation.

Il tourbillonne dans sa cage en faisant voler des plumes de couleur partout. On croirait qu'il cherche quelqu'un.

– CHUT! fait Pierre-Yves au perroquet.

– Sut! reprend Mine.

– SUT! souffle le perroquet qui se pose sagement sur un barreau.

– Les filles, on s'en va! ordonne Pierre-Yves. J'en ai assez de cet oiseau et les demoiselles vont revenir!

– Fanie, où était la photo? demande Joëlle.

Avec précaution, je remets la photo sur la table basse où elle se trouvait. Sans dire un mot. Le mystère s'épaissit. Perdue dans les brumes, je vogue à bord d'une pirogue ensorcelée. Deux amazones, un perroquet, une fille brune : quel équipage !

Le papillon bleu se pose sur la photo. Mine vient se planter devant. Mon esprit s'éveille.

Papillon bleu, tu as attiré Mine ici. Et moi ensuite. Connais-tu Éva, la vraie petite fille d'Amazonie ? L'as-tu vue dans la jungle ? Et toi, perroquet, as-tu déjà joué avec elle ? Pourquoi Mine t'excite tant ?

– Sortez de la lune et venez-vous-en ! s'écrie Pierre-Yves.

Trop tard ! À l'instant où nous nous élançons dans le couloir, un claquement de talons retentit sur le palier. Cette fois, les demoiselles s'en viennent en chair et en os. Catastrophe !

– Vite, cachons-nous ! suggère Joëlle.

Pierre-Yves soulève la cousinette et disparaît avec elle dans la pirogue. Joëlle et moi courons derrière la tenture orange qui borde la fenêtre. Transformées en statues de sel, nous retenons notre souffle.

Papillon magique, sauve-nous de la colère des demoiselles Dufort !

Les talons des demoiselles claquent dans ma tête. Elles avancent rapidement. Des clous s'enfoncent aux quatre coins de ma cervelle. Clac, clac, clac! Les demoiselles entrent dans la pièce. AU SECOURS!

– Le perroquet a parlé! déclare une des demoiselles. J'ai entendu sa voix en montant l'escalier.

– Pas possible! réplique l'autre. Il n'a jamais ouvert le bec depuis deux mois. Pourtant, on l'a installé au milieu d'une jungle magnifique. Dans un décor proche du sien. Pour qu'il parle ! Et regarde-le ! Il n'a pas bougé d'une plume !

– Ces folies nous ont ruinées, enchaîne la première demoiselle. Nous avons dépensé nos derniers sous pour garnir la jungle d'un papillon bleu. Un vrai papillon d'Amérique tropicale. Acheté directement là-bas. Cet oiseau aurait pu au moins nous dire merci !

– Ce serait plus important qu'il livre son secret ! dit la deuxième.

Joëlle me pousse du coude. Nous échangeons un regard lourd. Le perroquet détient donc un secret. Quel est ce secret ? Les demoiselles ont-elles gaspillé tout leur argent pour lui ? Piquées de curiosité, nous tendons à nouveau l'oreille.

– Pauvre petite Éva ! reprend la demoiselle-aux-lunettes-sur-le-bout-du-nez. Peut-être à jamais disparue en Amazonie. Et notre frère, mort là-bas. J'en ai tellement de chagrin...

– Ah non ! riposte l'autre. Notre frère est mort, mais la petite est vivante. On l'a kidnappée, puisque la police ne la trouve plus ! Et cet imbécile de perroquet au bec cloué a tout vu, tout entendu. Il pourrait bien nous en parler ! Paraît-il qu'il aimait beaucoup Éva.

– Maintenant, on n'a plus rien. Nous sommes trop pauvres pour acheter quoi que ce soit. Quel malheur ! Et cet héritage qui n'arrive pas. Pourtant, ils ont trouvé notre adresse pour envoyer le perroquet et les tristes nouvelles. Notre belle petite Éva ! Si au moins on pouvait aller sur place.

J'écarte un coin de la tenture orange. La demoiselle a enlevé ses lunettes et essuie ses yeux. Oh ! elle pleure ! Elle semble avoir beaucoup de peine. On entend des sanglots. J'attrape la main de Joëlle et la serre très fort. Que faire ?

La petite Éva aurait donc été enlevée. Un véritable kidnapping ? ? ? Pourquoi le perroquet qui sait tout demeure-t-il muet ?

– Amélie ! grince la demoiselle au menton pointu. Cesse de pleurnicher. On a du travail. Pense à l'invasion des fourmis. Toutes les tuiles nous tombent dessus en même temps. En plus de dompter le perroquet, on doit se battre contre une armée d'insectes géants.

– Oublie l'histoire des fourmis ! J'avais tellement faim ; je crois que je les ai vues triple volume. La faim, Julie, ça cause des mirages !

La bonne découverte ! Les demoiselles s'appellent Amélie et Julie. De trop jolis noms pour des faiseuses de trouble. Pauvres demoiselles ! Maigres et affamées. L'esprit en ébullition. Hantées de visions de fourmis géantes. Torturées d'angoisse pour leur petite Éva. Quelle détresse dans leur figure ! Les voilà qui s'agitent comme des bêtes traquées. Comment les aider ?

– Jamais je n'aurais cru, murmure Joëlle à côté de moi, les yeux pleins d'eau.

Soudain, la demoiselle Julie marche en direction de la pirogue. Oh ! a-t-elle aperçu quelque chose de suspect ?

– Amélie ! La toile de la pirogue a bougé !

– Un autre mirage ! réplique l'autre.

– Pardon ! On vient de manger chez la voisine d'en bas. Notre estomac n'est plus creux. De plus, la tenture près de la fenêtre se balance toute seule !

Horreur ! Le corps raide, les lèvres crispées, nous nous attendons au pire. Que feront les demoiselles si elles nous découvrent ? Vont-elles nous menacer de punitions ? Ou nous livrer à la police ?

– Tu exagères ! reprend la demoiselle Amélie. Le vent d'orage doit passer par la fenêtre.

– En tout cas, le bananier n'est plus exactement où il se trouvait. Va donc fermer cette fenêtre ! Il pleut fort. La pluie risque de mouiller les tentures.

Des pas viennent directement vers nous. Joëlle et moi nous serrons l'une contre l'autre. Je me sens devenir Fanie-la-souris. Une mini-souris dans la pluie. Transparente. À peine visible. Peut-être la demoiselle va-t-elle passer tout droit… Clac, clac, clac…

– ATSOUM !

Mine vient d'éternuer ! Les pas s'arrêtent. La catastrophe complète !

– ATSOUM! répète le perroquet.

– Qui est là? demande la demoi-selle Amélie, effarée.

– Mine! répond la cousinette, le nez hors de la pirogue. Z'avez un moussoir?

– Z'AVEZ UN MOUSSOIR?

LE SECRET DU PERROQUET TROIS COULEURS

Les demoiselles regardent tour à tour Mine et le perroquet, suffoquées, incrédules.

– Il a dit « Atsoum ! » finit par laisser tomber une des demoiselles.

– Puis « moussoir ! » ajoute l'autre.

– Il a répété plein de mots après Mine, précise Pierre-Yves, tout rouge, émergeant de la pirogue avec la cousinette.

– Qu'est-ce que tu fais là, toi ? questionne la demoiselle Amélie.

– Je courais après ma sœur !

– Z'avez un moussoir ? reprend Mine.

– Z'AVEZ UN MOUSSOIR ! insiste le perroquet.

Joëlle rejoint Mine d'un bond.

– Pas une autre ! s'exclame la demoiselle Julie.

– Excusez-moi, je courais après ma cousine Fanie ! dit Joëlle.

– Et la cousine ?

– Je courais après le papillon bleu !

Sur le bout des pieds, je quitte ma cachette, rêvant encore une fois d'être une souris.

– Atsoum ! éternue Mine.

– ATSOUM ! répète le perroquet.

– ATSOUM !!! disent les deux demoiselles, les yeux agrandis de surprise.

– C'est Mine qui fait parler le perroquet, remarque Joëlle.

Ma cousine a raison. Quand je suis entrée dans la jungle, le perroquet est demeuré silencieux. Il répète seulement pour Mine. Est-ce qu'elle lui rappelle la petite Éva ?

– Un moussoir ! réclame encore Mine dont le nez coule comme une fontaine.

– UN MOUSSOIR ! lance le perroquet.

La demoiselle Amélie extrait de sa poche un mouchoir rose et le tend à la cousinette. La figure de Mine disparaît complètement dans le tissu de dentelle.

– Tsoum ! fait-elle derrière son voile.

– TSOUM ! reprend l'oiseau, tourné vers la petite.

– Idiot ! Si seulement tu nous parlais d'Éva ! s'exclame la demoiselle Julie.

– Éva, photo ! dit Mine, le visage toujours caché par le mouchoir.

– ÉVA PHOTO ! crie le perroquet à tue-tête. ÉVA ! ÉVA !

Cette fois, le perroquet, déchaîné, se jette sur les barreaux de sa cage. Des plumes volent partout. Serait-il furieux parce que Mine porte un mouchoir sur la figure ?

– Je pense qu'il est devenu fou ! soupire la demoiselle Amélie.

– Fou enragé ! appuie sa sœur.

Soudain, le perroquet se braque devant Mine et commence à crier.

– ÉVA BRRRASILIA ! BRRRASILIA !

– Brasilia ! s'écrie la demoiselle Julie. La photo n'a pas été prise à Brasilia. C'était dans la jungle d'Amazonie. Il y a déjà deux ans. Oh! est-ce que le perroquet aurait entendu ce mot-là le soir du drame ?

– Les bandits avaient peut-être des foulards sur la figure, risque Joëlle. Comme Mine ! C'est où, Brasilia ?

– Au Brésil ! Mon frère allait parfois dans cette ville, mais pas nous. Mon Dieu ! Éva serait-elle dans cette ville ? Je dois téléphoner au consulat !

– Je peux faire une recherche sur Brasilia, propose Pierre-Yves, qui s'éclipse aussitôt.

Les deux demoiselles semblent n'avoir rien entendu et ne plus nous voir. La demoiselle Julie se dirige vers la cuisine et vers le téléphone en faisant claquer ses talons. La demoiselle Amélie se penche vers la table basse, s'empare du cadre et contemple la photo.

– Éva, murmure-t-elle en souriant.

Mine s'approche de la demoiselle et la tire par la manche.

– Photo à Mine !

– PHOTO À MINE ! répète le perroquet.

À notre grande surprise, la demoiselle Amélie s'assoit sur la table et prend Mine sur ses genoux. Le papillon bleu, sorti d'on ne sait où, vient se poser dans ses cheveux. La demoiselle enlève ses lunettes. Ses yeux prennent la couleur azur des ailes du papillon.

Sa pensée galope au secours de la petite. Un sourire d'amazone traverse sa figure. Celui de la photo.

– Éva ! dit-elle, rajeunie.

Cavalière sans cheval, elle s'élance, cheveux au vent, vêtue d'une jupe à fleurs rouges. Ses joues se mouillent tout à coup. Mine déplie le mouchoir brodé et essuie les larmes indiscrètes. Le perroquet, à l'affût du mouchoir, se remet à crier comme un fou.

– BRRRASILIA, BRRRASILIA ! TICO TOUT SEUL !

Juste à ce moment réapparaît la demoiselle Julie, la figure éclairée d'un grand sourire. On la dirait transformée en amazone à fleurs rouges, elle aussi ! Va-t-elle s'envoler ?

– Écoutez-moi bien ! À Brasilia, une petite fille répond au nom d'Éva Dufort. Dans un orphelinat ! La petite pourrait y avoir été amenée par erreur. J'attends la confirmation de la police internationale.

– Qu'allons-nous faire ? demande la demoiselle Amélie.

– Partir la chercher ! On nous envoie des documents précieux. Notre héritage est enfin disponible. Tout s'arrange du même coup.

– Dieu soit loué ! s'exclame la demoiselle Amélie en remettant Mine par terre. Nous reverrons notre enfant !

– Vous comprenez, explique la demoiselle Julie, notre frère travaillait à l'exploitation de mines d'or. Lui et sa femme ont été sauvagement attaqués. Un grand malheur ! Mais nous posséderons bientôt un trésor...

– Un trésor de petite fille, complète la demoiselle Amélie. Grâce à toi, Mine !

– Et au perroquet ! ajoute Joëlle. Mine, il faut s'en aller ! Dis au revoir !

– Non !

– NON ! appuie le perroquet.

– Viens, on va faire une super limonade à bulles pour les demoiselles amazones !

– Encore zaunes ? demande Mine, le sourire aux lèvres.

– ZAUNES ! crie le perroquet.

Je souffle à l'oreille de Mine :

– Les demoiselles sont jaune soleil !

– Salut, Tico ! lance Joëlle au perroquet.

– Lu Tico ! reprend Mine avec bonne humeur.

– LU TICO ! TICO TOUT SEUL ! se lamente le perroquet.

PAPILLONS BLEUS

En descendant l'escalier, nous croisons tante Claudine, à la recherche de la malade. Ma tante prend la cousinette dans ses bras.

– Taquine de Mine ! Tu nous as encore joué un tour !

– Maman ! supplie Joëlle. Laisse-nous préparer une limonade à bulles !

– C'est bon pour le rhume, ma tante !

– On voudrait inviter les demoiselles, continue Joëlle. Elles partent pour Brasilia !

– Accordé ! dit tante Claudine. Mais d'abord le sirop pour le rhume ! Puis, je remonte chez les demoiselles Dufort. Elles doivent avoir besoin d'un coup de main.

Joëlle et moi prenons notre élan vers la cuisine. Nous rassemblons en vitesse les ingrédients : six oranges, un citron, du sucre, de l'eau pétillante, des framboises pour la décoration.

– Brasilia ! s'écrie Pierre-Yves de sa chambre. Une ville bâtie sur des plateaux de montagnes… Venez voir ce que j'ai trouvé dans Internet !

– Plus tard ! dit Joëlle.

Je m'empresse de brancher le presse-fruits électrique. Bjjj… Les oranges et le citron déversent leur jus parfumé dans le pichet. L'opération terminée, Joëlle ajoute le sucre et, enfin, l'eau pétillante.

– Bulles, bulles, chante la cousinette en entrant dans la cuisine.

– Juste à temps ! s'écrie Joëlle. Viens mettre les framboises dans la limonade !

Mine dépose les framboises une à une dans le liquide.

– Encore bulles, bulles !

– ENCORE BULLES, BULLES ! lance une voix rauque.

Nous sursautons comme si l'Amazonie venait de nous tomber dessus ! Pierre-Yves accourt, étonné lui aussi. TICO LE PERROQUET !

Sur la pointe des pieds, tante Claudine et les demoiselles ont trimbalé jusqu'à nous la cage de l'oiseau. Le perroquet s'étire vers la cousinette tant qu'il peut. Son bec fait clic, clic, comme pour lui donner des bécots. Des bécots qui cliquent!

– Tico content! s'écrie Mine, ravie.

– TICO CONTENT! reprend le perroquet.

– La police internationale a confirmé la découverte de la petite Éva, annonce tante Claudine. Le perroquet des demoiselles habitera ici pendant leur voyage.

Quel visiteur extravagant chez mes cousins! Tico, le perroquet d'Amazonie. Les chanceux!

– Voulez-vous une limonade? offre Joëlle aux demoiselles. On a préparé une limonade à bulles pour fêter votre départ.

– Avec plaisir ! répondent d'une seule voix les demoiselles.

Dans les bulles de la limonade pétillent nos rêves d'Amazonie. La tête couverte de papillons bleus, nous descendons un long cours d'eau à bord d'une pirogue. Des oiseaux multicolores voltigent dans les arbres. Un mini-singe blanc se balance sur une liane. Mademoiselle Julie et mademoiselle Amélie retrouvent déjà leur petite Éva ! Yadigadou !

Samedi de pluie, samedi magique…

TABLE

L'AUTEURE

LOUISE-MICHELLE SAURIOL joue avec les mots depuis longtemps. Elle a pratiqué le métier d'orthophoniste auprès des enfants du primaire et du secondaire. Au fil des années, elle a écrit des contes et comptines pour sa clientèle. Puis elle a élargi son public et publié une quinzaine de livres pour les jeunes de sept à quatorze ans.

L'ILLUSTRATRICE

Finissante en arts plastiques au Campus Nortre-Dame-de-Foy, ALEXANDRA GARANT a remporté plusieurs mentions pour son travail. Elle a réalisé des décors de théâtre, des affiches, et elle a illustré des livres et des articles de revues.

AUTRES PUBLICATIONS DE L'AUTEURE

Mystère et gouttes de pluie,
Le Loup de Gouttière, 2000

Le couteau magique, Soleil de minuit, 2000

Une araignée au plafond, Pierre Tisseyre, 2000

Tempête d'étoile et couleurs de lune, Vents
d'Ouest, 1999

Kaskabulles de Noël, Pierre Tisseyre, 1998

Le cri du grand corbeau, Pierre Tisseyre, 1997

Margot et la fièvre de l'or, éditions Des Plaines,
1997

Au secours d'Élim! Héritage, 1996

Ookpik, Hurtubise H.M.H. 1993

DANS CETTE COLLECTION

▽ 6 ans et plus

▽ ▽ 7 ans et plus

▽ ▽ ▽ 9 ans et plus

Achevé d'imprimer
en mars 2001 sur les presses
de l'imprimerie H.L.N.
de Sherbrooke.